Titre original de l'ouvrage: "el olfato"

I.S.B.N. 2-04-015343-8
Dépôt légal: mars 1985

Imprimé en Espagne par
Graficromo, S.A. Pol. Ind.
"Las Quemadas" - 14014-Córdoba -
(España) en février 1985
Dépôt Légal:CO-321-1985
Numéro d'Editeur: 785

María Rius

J.M. Parramón. J.J. Puig

l'odorat

Bordas

Je sens... je sens les fleurs...

...et les gâteaux tout chauds!

Je sens l’odeur des vaches dans l’étable...

...le parfum de l’eau de cologne

Je sens la mer

GAVINA

Je sens le doux parfum de la lavande!

Ça sent le brûlé!

Je sens l’odeur forte du poisson...

et l'odeur appétissante du pain chaud,

Boulangerie

l'odeur de terre mouillée après la pluie...

Je sens l'odeur de la soupe
dans la soupière

Nous avons un sens pour reconnaître l'odeur des choses: L'ODORAT

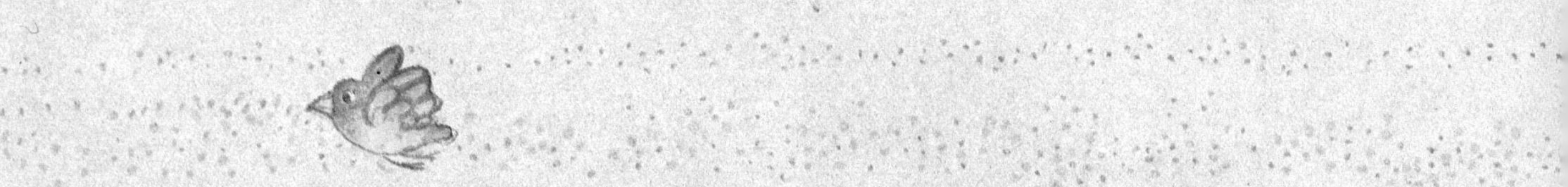

L'ODORAT

L'organe de l'odorat

C'est un organe relativement simple, comparé à ceux de la vue et de l'ouïe. Les odeurs sont perçues par le nez. Il suffit de dire que la zone qui reçoit les odeurs se trouve dans la muqueuse de la partie supérieure de la cloison nasale, c'est-à-dire près de ce qu'on appelle le *cornet supérieur* (6) et d'ajouter que les stimulations olfactives sont reçues et transmises aux centres cérébraux par le *bulbe olfactif* (2). On observe que dans cette zone (que nous avons indiquée en bleu) il y a une série de ramifications nerveuses qui proviennent du bulbe olfactif. Il faut savoir, d'autre part, que si ces détecteurs des odeurs sont effectivement extrêmement sensibles— ils réagissent au moindre signal— il arrive aussi qu'ils se saturent facilement, et que certaines odeurs perçues tout d'abord avec beaucoup d'intensité finissent par ne plus se sentir lorsque nous sommes «plongés» dedans depuis un moment. On dit alors qu'il y a accoutumance.

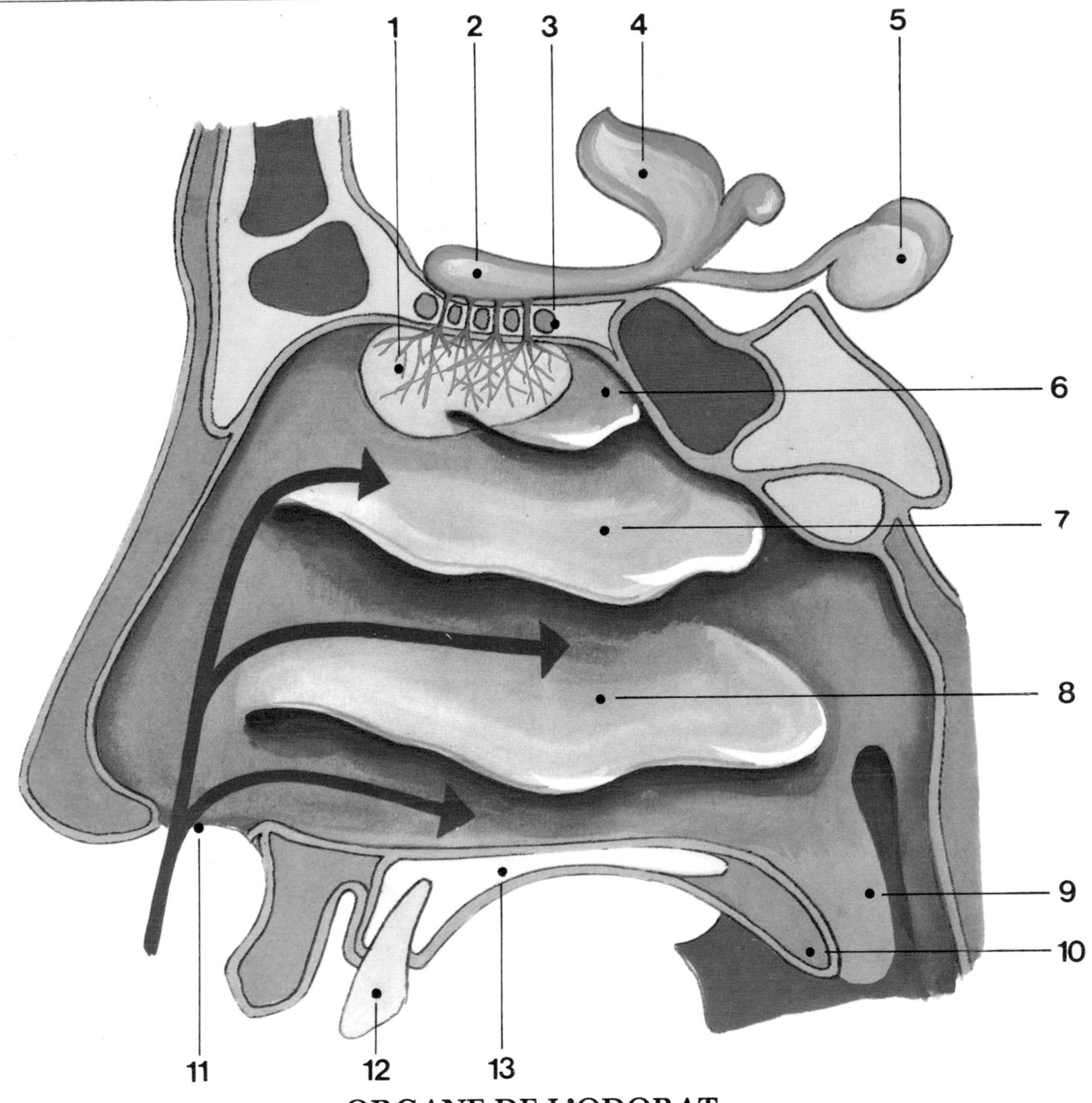

ORGANE DE L'ODORAT

1 Muqueuse olfactive
2 Bulbe olfactif
3 Lame criblée
4 Centre olfactif
5 Centre gustatif
6 Cornet supérieur
7 Cornet moyen
8 Cornet inférieur
9 Pharynx
10 Voile du palais
11 Narine
12 Incisive
13 Maxillaire

L'ODORAT

Aspirer, sentir.... et se souvenir.... Sentir et vivre les odeurs, se souvenir du parfum des champs, des fruits, des fleurs.... Tout a un parfum, tous les souvenirs revivent grâce à l'odorat.....

Oui! Tous les souvenirs revivent grâce à l'odorat

Nous avons tous fait l'expérience de l'association d'une odeur précise à un fait qui s'est produit dans le passé, du souvenir d'une personne lié à telle ou telle odeur; il nous est à tous arrivé de revivre une situation lorsque surgit une odeur qui imprégnait les lieux au moment où le fait s'est produit. L'odeur saline de la mer, par exemple, suffit à nous transporter en imagination à la plage et à nous rappeler nos souvenirs de vancaces. L'odorat, en effet, est un sens d'associations et de souvenirs, capable de nous réjouir ou de nous attrister. C'est un sens en quelque sorte romantique.

Et cependant l'odorat est considéré comme un sens secondaire

En effet, on considère ce sens comme secondaire parce qu'en maintes occasions il ne "répond" pas du tout ou bien se montre peu sensible. C'est le cas lorsqu' on est enrhumé, les mucosités gênant alors la fonction de l'odorat, ou lorsque la pollution atmosphérique ou des odeurs fortes et désagréables saturent et atrophient le sens olfactif jusqu'à anéantir sa sensibilité. Pour toutes ces raisons, effectivement, on peut dire que l'odorat n'est pas indispensable á l'homme. Ce n'est pas pareil, en revanche, pour les animaux!...